나라는 색

나라는 색

발 행 | 2023년 12월 08일
저 자 | 지원
펴낸이 | 한건희
펴낸곳 | 주식회사 부크크
출판사등록 | 2014.07.15.(제2014-16호)
주 소 | 서울특별시 금천구 가산디지털1로 119 SK트윈타워 A동 305호
전 화 | 1670-8316

이메일 | info@bookk.co.kr

ISBN | 979-11-410-5843-2

www.bookk.co.kr
ⓒ 지원 2023

작가 | 지원

이 책을 쓴 이유는 하루하루마다 다른
나의 감정들을 기억하고 싶어서이다.
내가 무슨 감정을 갖던지 그 모든 게 '나'이다.
그래서 나를 기록하고 싶어서 쓰게 되었고
나의 감정에 대해 솔직하고 싶어서 쓰게 되었다.
아마 내가 느낀 감정들은 모든 사람들이 한 번씩은
느껴봤을 법한 감정들일 것이다.
아니면 앞으로 느껴볼 수 있는 감정일 것이다.
이 책을 읽은 그대의 마음에 작은 울림이 남았길...

나라는 색

지은이 지원
표지 진희
삽화 민지

나라는 색

나만의 색을 잃지 않도록
아니, 혹시 잃게 되더라도
다시 찾을 수 있도록

오늘의 힘듦

매일 힘들 순 없으니
딱
오늘의 시간만큼만 힘들게.

당연한 건 없지

당연한 건 없지
하지만
너한테 나만큼은
당연했으면 좋겠다.

그때로

모두가 잠든 이 밤
저 달처럼
네가 내 눈앞에 있으면 좋을 텐데.

이젠 볼 수 없는 네가
오늘 밤 사무치게 그립네.
함께일 수 있었던
그때로 다시 돌아가고 싶다.

무심(無心)

무엇이 너를 그렇게 힘들게 했을까.
무엇이 너의 목을 서서히 조여왔을까.

그런데
너의 목이 점차
조여오는 것도
난 몰랐던 거야.

그걸 모른 채 살았고
네가 없는 지금 깨달았어.

그저 행복만

다음 생엔 네가 정말 해맑게 웃기를
아무 걱정 없이 그저 행복만 하기를
널 힘들게 했던 것들 모두 사라지기를

하루에 수백 번도 넘게
너를 그리고 있어.

보고싶다

평소와 같은 하루였으면 좋겠어.
나의 평범한 일상에
너라는 특별함이
자리 잡았던 그때와 같이

네가 너무 보고 싶다.

우주여행

우주여행을 떠난 너.
거긴 어때
예쁜 것들이 좀 많아?
너를 힘들게 하는 건 없어?

그럼 됐어.

언젠가 우리
꼭 같이 여행하자.
그땐 날 미소로 반겨줘.

힘들어도

힘들어도 지금까지
버텨올 수 있었던 건
아마,
내 곁에 믿고 의지할 수 있는
사람들이 있어서 아닐까

하루에 몇 번이고 바닥으로
추락해 내동댕이 쳐진 내 마음은
너로 인해 다시금 치유돼

내가 바라는 건

너에겐 나와 함께한 시간들이
그저 아련한 추억으로 남기를.

한없이 서투른 감정 표현도
귀엽게 비쳤기를.

첫사랑

내 눈엔 한없이 예뻤던
나의 너에게
내가 널 네가 날 좋아했던
풋풋한 날들

그날도 햇볕이 따사로웠다.

너라는 과분함

대가 없이 주는 사랑이
얼마나 어려운 건지 알기에
너의 사랑은 항상 나에게 과분했다.

어찌 그리 나를 위해주는지
그 과분함에 나는
더 큰 사랑으로 보답하고 싶었다.

봐도 봐도

봐도 봐도 계속 보고 싶은
봐도 봐도 질리지 않는
봐도 봐도 중독적인

너의 미소

그런 날1

왜, 그런 날 있잖아.
내가 나라서 싫은 날.
오늘이 딱 그런 날이야.

나만 그런가

경쟁이라는 깊은 바닷속에서
난 또 무능이라는
파도에 휩쓸려가고 있어.

날 믿지 못해서

누군가 그랬다
스스로를 의심하지 말라고.
자기 자신도 믿지 못하면
남도 믿지 못하는 게 당연한데
나는 여태껏 왜 나를 의심해왔을까.

몰라

아무리 생각해도
잘 모르겠어.
네 마음은 마치
럭비공과 같아서
어디로 튈지 몰라.

권태기

쉽게만 살아가면 재미없다지만...
가끔은 쉽고 싶다

아주 조금씩

조금씩
아주아주 조금씩
괜찮아질 거야.

오늘이 아니더라도
내일, 글피, 그글피
이렇게 천천히 괜찮아지자.

나다운 것

다른 사람의 기준에
맞춰서 산 적 없다
단지, 그들이 자신의 기준에
날 맞춘 거지

나는 항상 나다웠고
지금도 나답게 살고 있고
앞으로도 나다울 것이다.

콩깍지

너무 좋아서
매번 봐도 질리지 않아서
자꾸만 생각이 나서
모든 것이 예뻐 보여서

무례

모든 게 다 자기가 맞다고
너의 말은 중요하지 않다고
자신이 필요할 때만 찾는
우린 이걸 '무례'하다고 하기로 했어요.

삶의 이유

너랑 같이 웃고 싶어
아주 잠깐이라도

힘든 하루를 버틸 수 있는
너란 존재는
나에게는 없어서는 안 될 존재야
그러니 부디 나에게로 와줘

아픈 날

오늘은 정말 울고 싶지 않았는데
진짜 진짜 참으려 했는데 터져버렸다.
엄마가 '툭' 내뱉은 그 말이
어느 때보다 더 아팠다.

괜찮아지는 방법

아파할 수 있는 만큼
최대한 아프기
그렇게 다 쏟아내기

그러고 나서는
또다시 나의 일상에
푹 빠져들기

정신없을 만큼 바쁘게
그렇게 살아가기
이것이 내가 괜찮아지는 방법이다.

하루살이

오늘을 살아갈래
후회 없이 딱 만족할 만큼
오늘은 다시 돌아오지 않으니까
그래서 더 소중하고 더 잘 살고 싶어
오늘을.

그런 날2

뭘 해도 잘 풀리지 않는 날이 있다.
사소한 것 하나까지도
어쩜 이리 짠 듯이
모든 게 내 편이 아닌 것 같은

나라는 여행

삶은 나를 찾는 여행이다.
나도 내가 누군지를 몰라서
나라는 사람을 찾아가려고
많은 것을 보고 느끼고
배우며 살아가는 것이다.

완벽

모든 것이 다 완벽하고 싶었다.
그래야 정말 가치 있는 사람이라고
생각을 했으니까.
하지만 깨달았다.

우리는
모든 걸 다 잘 할 수는 없다고
모든 걸 다 잘 할 필요는 없다고

진정한 친구

살면서 진짜 나를 위해주는 진정한 친구를
몇 명이나 찾을 수 있을까.
그런 생각을 해보면 내 옆에 있는
친구들이 너무 고맙다.

내가 뭘 해도 다 응원해 주고,
기쁜 일이 있으면 같이 기뻐해 주고,
슬픈 일이 있으면 같이 슬퍼해 주고,
힘이 들 때 힘이 되어주는

그저 나를
나 자체로 봐주는 친구들

확신

확신이 필요했다.
내가 나를 믿지 못해서

나를 믿고 싶어서
나에게 정답이라고
말해줄 누군가를
찾아 헤맸다.

없네

남들 다 있는데
나만 없어

있었는데 이젠 없네
나도 필요한데...

모순

애매하다
모든 게
하나를 선택하면
그 선택이 반짝일 것 같았는데

모든 선택은
버려진 나머지 때문에
빛이 나지 않는다.
모순이다.

나라는 별

나는 나일 때 가장 빛이나
네가 알아줬으면 좋겠어
나는 **365**일 너의 앞에서
빛나고 싶어

너만 몰라

괜찮지 않아도 되는데
내 앞에서는 완벽하지 않아도 되는데
존재만으로 충분한데
너만 모르나 봐.

가능성

힘이 들어서 모든 것을
포기하고 싶을 때
내가 부정 당하는 거 같을 때
내가 할 수 있는 게
아무것도 없다고 생각이 들 때
이렇게 생각해.

난 성공이든 실패든 모든 할 수 있어
성공을 하면 그 자체로 훌륭하고
실패를 하면 아무것도 하지 않거나
성공만 해본 사람들 보다
인생을 더 배웠구나.
나는 이제 무엇이든 할 수 있어.

마음의 짐

부담 갖지 말라는 말
하고 싶은 대로 하라는 말
모든 게 마음의 짐이 되어
나에게 돌아온다.

행복

너랑 눈을 맞출 때
나는 가장 행복한 사람이 된 것 같았다.

날 보며 햇살이 부서질 듯
예쁘게 웃는 널 보며
그저 행복했다.
벅차올랐다.

그리운

시간이 돌아와 준다면
그대에게 못다 한 말을 다하고 싶어요.

정말 너무 많이
보고 싶었다고
그리웠다고
사랑했다고

남겨짐

나의 가장 소중한 널 잃어서 두려웠다.
네가 없는 나는 상상해 본 적이 없기에
마냥 아팠고 아팠다.
너는 벌써 나를 잊은 걸까.
나와의 아름다운 추억마저 너에게는
그저 그런 기억으로 남은 걸까.

부모님

날 위해 산 당신이 내게는 너무 아파요.
당신이 날 위해 한 희생이
가늠이 가질 않아서
아니,

감히 가늠할 수조차 없어서

이제는 당신을 위해 살아요.
누구도 위해주지 말고
자신만을 생각하고
하고 싶은 거 다하면서
후회가 남지 않도록

바보같은 짓

바보 같다

조금만 더
신중했더라면
꼼꼼했더라면

이런 일이 일어나지 않았을텐데

이렇게 또 바보같은 짓을 하고
후회를 한다.

불꽃놀이

나는 그대에게 꽃이고 싶어요.
그대가 깜깜해질 때쯤 피어나는 꽃

그래서 내가 밝게 빛을 내서
그대를 밝혀주고 싶어요.
그대 얼굴에 꽃을 피게 하고 싶어요.

가면

모두가 나를 이해할 수 없듯이
나도 모두를 이해할 수 없다.
우린 공감이라는 가면 쓰고
서로를 이해한다고 생각한다.
그건 어디까지나 이해한 '척'일 뿐
감히 다른 사람의 감정을
완벽히 이해할 수는 없다.
그러니까 무조건적인 공감은
바라지 마라.
누구든 널 다 이해하지 못하니까.

마라탕

너는 정말 중독적이다.
마치 나의 플레이리스트에 죽치고 앉아있는
가장 많이 들은 노래같이
질리지 않아 늘 좋고 새롭고 완벽해.

되새김질

이 순간을 온전히 느끼고 싶다.
너와의 시간이 너무 좋아서
매일 되새김질하고 싶다.

다시

우리여서 행복했던 시간들을
다시 마주한다면

나는 그게 잠시라도 행복할 거야.
너는 내게 아주 과분한 사람이니까.

휴일

네가 너무 좋아.

그냥 매일 너와 함께이고 싶어.

다른 거 다 필요 없고 너만 있으면 돼.

나는 그런데 하지만 너는 아닌가 봐.

내가 좋다고 하자마자

뒤도 안 보고 쑥 가는 걸 보니.

답답함

왜 그런 거 있지?
한 번쯤은 느껴봤을 법한
숨 막히는 정적, 침묵

그럴 때 정말 숨이 머리끝까지 차올라서
숨을 쉴 수조차 없어.
그 침묵이, 정적이 점점 내 목을 조여와
날 불편하게 만들어.

그저 그런

의미 없는 날들 속
나는 그냥 무너져버린 걸까
아니면 그저 무뎌진 걸까.

너와 나

따스했던 봄날과 청량했던 여름
나의 마음도 붉어지던 가을
코 끝이 시려오던 겨울
사계절 모두
너와 함께

기다릴게

우리 사이에 비밀이 생긴다 해도
아무런 의심 없이
아무런 말 없이
나 변치 않고 기다리고 있을게.
네가 준비되었을 때
그때 꼭 말해줘.

아이

마음먹은 대로 되질 않아 힘이 든다
나는 항상 뭐든지 잘하고 싶고
잘해야만 한다

누구도 강요하진 않았지만
그런 생각을 가진 채 살아왔다
또 그게 맞을 거라고 생각했으니까
그저 착한아이, 성실한 아이,
바른아이, 모범생
그게 바로 나의 이미지다
내가 원했다면 원한거고
그렇지 않았다면
주변의 시선이 만들어낸 나겠지
그렇다고 후회하지는 않는다

잠시, 내가 나라서
생각했던 것보다
내가 더 별로여서
힘든 적은 있었다

현재의 나는 나의 이미지 속에
갇혀 잇는 나를 깨부수고 싶은
깊은 마음속의 내가 존재한다

지금 생각해보면
내가 엄청나게
착한 아이, 성실한 아이,바른 아이,
모범생이지도 않은 것 같다

나도 날 모르겠다

기분 좋아지는 법

기분이 안 좋을 때
좋아지는 법
맛있는 걸 먹자.
가끔은 돼지가 되어도 괜찮아.
행복하면 됐지.

겁쟁이

끝을 말하기 힘들었다.
차마 내 입으로
말할 수 없어서
다른 이의 입을 빌려
나의 끝을 전했다.

비겁하다

어쩌면 이렇게 생각되고

'용기 없다, 소심하다'
이런 말들로도 형용될 수 있을 것 같다.

하지만 내가 말하기엔 나는 너무 작다.

어쩔 수 없는

나는 어쩔 수 없다는 말을
좋아하지 않는다

왜냐하면
내가 무능해지는 것 같아서
모든 것을 포기해버린 것 같아서
책임을 회피하는 것 같아서

그런데 어쩔 수 없다는 말

다른 의미로는 일이 내가 의도한 바와
달리 갈 때를 의미하기도 한다

어쩌면 우리의 인생과 같지 않을까
어디로 튈지 모르는
우리의 인생과도 같은 말이 아닐까

나를 위한 삶

그런 사람들 있지 않나요.
다른 사람의 기분 혹은
감정을 생각하느라
정작 자신의 기분과 감정을
챙기지 못한 사람들
저 또한 그런 적이 있었는데요.

제 생각에는 그런 행동이
정말 자신을 힘들게 하는
바보 같은 짓이 아닐까 싶어요.
물론 다른 사람의 기분, 감정도
고려해야겠지만
자신이 우선시 되어야 한다는 말이에요.

다른 사람의 기분, 감정을 무시하는 것이
아니라 나를 먼저 생각하고
다른 사람에게 피해를 주지 않는 선에서

자신을 위한 선택을 하세요.
자신을 위해 사세요.

망고

내가 이런저런 일로
가장 힘들었을 때
뜻밖의 위로를 받은 적이 있다.
우리 집 근처에 있는
공원에 사는 길고양이었다.

고양이의 첫 모습은 덩치가 조금
작은 고양이였다.
매력적인 흰색, 치즈 색,
고동색의 삼색 고양이
너무 예뻐서, 귀여워서
몇 번 먹이를 주었었다.
그러다 보니 정이 들었는지
내가 힘들 때마다
그 아이를 찾고 있었다.

그래서 망고라는
이름을 지어주었다.
신기하게도 내가 자신의
이름을 부르는 걸 아는지
어느 날은 망고를 크게
부르며 뛰어갔는데
망고가 나를 보고 달려와
내 눈앞에 앉아있었다.
그리고는 내 다리에
얼굴을 마구 비볐다.
그때 진짜 너무너무 감동이었다.

살면서 반려동물을 한 번도
키워보지 않은
나에겐 처음 느껴보는
어색하고도 신기한 감정이었다.
세상을 살면서
사람이 아닌 동물에게도
위로를 받을 수 있고
그 위로 또한
나에게 많은 영향을
줄 수 있다는 걸 깨달았다.

어쩌면 사람에게 받는 위로보다
동물에게 받는 위로가
이루 말할 수 없이
감동적이고 생경한 것 같다.

하루살이

오늘을 살아갈래.
후회 없이 딱 만족할 만큼
오늘은 다시 돌아오지 않으니까.

그래서 더 소중하고
더 잘 살고 싶어.
오늘을

청춘

청춘이란
바로 지금이 아닐까.
너와 내가,

우리가 가장 빛날 수 있는
바로 지금 말이야.